Guía de La Rebelión de Atlas

MW00626907

David Kelley, Jennifer Grossman,
Robert James Bidinotto

Traducción por Vanessa Porras

The Atlas Society Press

Publicado por
The Atlas Society Press
22001 Northpark Dr. Suite 250
Kingwood, TX 77339

Manufacturado en los Estados Unidos de América.

Portada diseñada por Matthew Holdridge.
Libro diseñado por Andrei Volkov.
Traducción por Vanessa Porras.

Nuestra Misión

La misión de The Atlas Society es inspirar a las personas para que adopten la razón, los logros, la benevolencia y el interés propio ético como la base moral de la libertad política, de la felicidad personal y de una sociedad floreciente.

Nos basamos en las obras y las ideas de Ayn Rand, y utilizamos medios artísticos y creativos para llegar e inspirar a nuevas audiencias. Promovemos una marca de objetivismo abierto y empoderador; damos la bienvenida al compromiso con todos los que buscan honestamente comprender la filosofía, y usamos la razón, los hechos y el debate abierto en la búsqueda de la verdad por encima de todo; no apelamos a la autoridad ni mezclamos personalidades con ideas. Nos resistimos al juicio moral basado en hechos no adecuados y creemos que el desacuerdo no implica necesariamente una evasión.

Nuestro Trabajo

Publicaciones: Desde novelas gráficas hasta libros de texto y guías de bolsillo, nuestros libros están disponibles en múltiples formatos.

Vídeos narrativos: Desde animación hasta videos de comedia, nuestras producciones incluyen vídeos de Draw My Life y compilaciones al estilo de cómics.

Recursos educativos: Los cursos en línea, las visitas guiadas en campus, las presentaciones de historia en vivo y los proyectos de activismo en campus, se encuentran entre las numerosas formas en que educamos a los estudiantes de todas las edades.

Comentarios: Además de los recursos educativos, nuestro sitio web tiene comentarios sobre una amplia gama de temas políticos, culturales y personales.

The Atlas Society es una organización sin fines de lucro 501(c)(3), apoyada exclusivamente por donantes privados.

Contenido

Acerca de Ayn Rand

La novelista y filósofa Alissa Rosenbaum, mejor conocida como Ayn Rand, nació el 2 de febrero de 1905 en San Petersburgo, Rusia. Su familia vivía en un extenso y cómodo apartamento ubicado sobre una farmacia que pertenecía a su padre.

Desde sus primeros años, se sintió alienada ante la oscura y melancólica atmósfera de Rusia, motivo que la conduce, definitivamente, a sentir una peculiar fascinación por el extraordinario mundo que veía proyectado en las historias de las revistas extranjeras. A los nueve años, tomó la decisión consciente de convertirse en escritora.

En su adolescencia descubrió las obras de grandes escritores románticos como Víctor Hugo, pero a medida que su visión privada del potencial humano se expandía, los horizontes sociales de la posibilidad humana se reducían a su alrededor. En febrero de 1917, fue testigo de los primeros planos de la Revolución Rusa desde su balcón. En poco tiempo los comunistas se apropiaron de la tienda de su padre y, casi de la noche a la mañana, su familia se vio reducida a una pobreza abrumadora.

Contra la creciente y abundante miseria de la vida soviética, la joven Rand alimentó un enérgico deseo de cambiar Rusia por la vida en Occidente. De este modo, obtuvo un pasaporte para visitar a sus parientes en Chicago, y fue así como en enero de 1926 dejó Rusia y a su familia, para no regresar jamás a su país natal. Semanas después, llegó a la ciudad de Nueva York con tan solo 50 dólares en su cartera.

Después de una breve estadía con sus parientes en Chicago, donde eligió utilizar el seudónimo de Ayn Rand, se mudó a Hollywood. Al día siguiente de su llegada, el director de cine Cecil B. DeMille la llevó a pasear en automóvil y le ofreció un trabajo como extra en una película. Poco después, en el set de la película de DeMille *Rey de Reyes*, Rand literalmente tropezó con el actor que eventualmente se convertiría en su esposo: Frank O'Connor.

A lo largo de la década siguiente, Rand tuvo algunos trabajos ocasionales. En su tiempo libre se encargó de perfeccionar su inglés y producir guiones, cuentos y una novela. Su sensacional perseverancia y su extraordinario talento dieron sus frutos, finalmente, con la creación de dos obras en Broadway y la publicación de su primera novela titulada *Los Que Vivimos*.

Sin embargo, el libro que la llevó a la fama fue *El Manantial*. Publicada en 1943, esta gran novela que representa el individualismo estadounidense dejó a la vista el retrato maduro de Rand de "El hombre como héroe" a través del personaje encabezado por el arquitecto Howard Roark, quien defiende la responsabilidad moral de diseñar y construir siendo leal solo a sus propios ideales y principios. Roark, en su larga lucha por el éxito, una lucha no muy diferente a la de Rand, finalmente triunfa sobre todas las formas de colectivismo espiritual. Esta novela, que presenta por primera vez la provocativa moralidad del egoísmo racional de Rand, ha seguido siendo un éxito de ventas durante más de medio siglo, vendiendo millones de copias, y convirtiéndose en una película protagonizada por Gary Cooper y Patricia Neal.

Si *El Manantial* generó controversia, *La Rebelión de Atlas* causó furor. En esta gigantesca epopeya romántica,

Rand dramatizó los elementos principales de su nueva y desafiante filosofía sobre "razón, individualismo y capitalismo", que ella misma denominó "objetivismo". Esta novela se convertiría en la obra maestra de su carrera literaria y filosófica.

Después de la publicación de *La Rebelión de Atlas* en 1957, Rand se dedicó a la no ficción y elaboró su filosofía en múltiples ensayos, columnas y apariciones públicas. Su colorida y tumultuosa vida acabó el 6 de marzo de 1982 en su apartamento de Nueva York.

Su legado, tanto en la literatura como en la filosofía, sigue vigente e inmortalizado en las novelas y personajes que creó. Rand consideró *La Rebelión de Atlas* como la más completa de sus obras de ficción, y para muchos lectores sigue siendo una de las novelas favoritas y de mayor influencia. Si bien la obra continúa atrayendo seguidores, también sigue siendo un objetivo perenne para los críticos que se oponen a los puntos de vista pro-individualistas y pro-capitalistas sin reservas de Rand. La mayoría de las críticas son de segunda mano, circuladas por aquellos que de hecho no han leído a Ayn Rand por sí mismos. Un elemento básico de la crítica estándar de *La Rebelión de Atlas* es la extensión de la novela, que está a la par con los clásicos épicos de Leo Tolstoy y Víctor Hugo. Mientras los seguidores de *La Rebelión de Atlas* encontraron la novela difícil de dejar a un lado, los detractores están decididos a hacer que el libro sea difícil de entender y, por supuesto, exageran la extensión del mismo, convirtiendo este argumento en una de sus tácticas preferidas.

Para hacer frente a esta táctica, hemos elaborado esta Guía de Bolsillo para *La Rebelión de Atlas*, que destila la trama, los personajes y los temas en una lectura concisa.

Además de proporcionar un puente para los nuevos lectores de la novela, la Guía de Bolsillo también sirve como
una referencia útil para aquellos que quieran revisar su
libro favorito de todos los tiempos y animar a futuros lectores a embarcarse en este viaje sin precedentes.

Sinopsis

La Rebelión de Atlas está estructurada en tres partes principales y cada una consta de diez capítulos.

Las tres partes del libro obtienen su nombre como homenaje a las leyes de la lógica de Aristóteles.

La primera parte se titula "No contradicción" y confronta a dos prominentes ejecutivos de negocios, Dagny Taggart y Hank Rearden, con aparentes contradicciones: personas altamente productivas están desapareciendo en el apogeo de su éxito y un nuevo motor revolucionario es encontrado en una fábrica abandonada.

La segunda parte, titulada "Una cosa o la otra", se centra en la lucha de Dagny Taggart por resolver un dilema: continuar la batalla para salvar su negocio o renunciar a él.

La tercera parte se titula "A es A", que simboliza lo que Rand denominó "la ley de la identidad", y aquí finalmente se identifican y resuelven las respuestas a todas las aparentes contradicciones.

La historia se cuenta en gran parte desde el punto de vista de Dagny, la hermosa y competente jefa de operaciones del ferrocarril más grande del país, Taggart Transcontinental. La trama principal es la búsqueda de Dagny por comprender la causa subyacente al colapso, aparentemente inexplicable, de su ferrocarril y de la civilización industrial y, al mismo tiempo, su búsqueda tenaz y desesperada de dos hombres desconocidos: uno, el inventor de un motor abandonado tan revolucionario que podría haber cambiado el mundo; el otro, una figura misteriosa que, como el flautista de Hamelín, parece decidido a alejar de la sociedad a las personas más capaces y talentosas: un destructor invisible.

Una importante trama secundaria sigue al titán de acero Hank Rearden en su búsqueda espiritual por comprender las fuerzas desconocidas que están socavando su carrera y felicidad, y dirigiendo su talento y energía hacia su propia destrucción.

En la piel de Dagny y Rearden, aprendemos gradualmente la explicación completa detrás de los asombrosos eventos que causan estragos en su mundo. Con ellos, llegamos a descubrir que todos los misterios y sucesos extraños de la historia proceden de una sola causa filosófica, y que Ayn Rand plantea un provocador remedio filosófico para muchas de las crisis morales y culturales de nuestro propio mundo.

Parte Uno: La No contradicción

Es la tarde del 2 de septiembre. El lugar: Nueva York. Pero no es exactamente la ciudad de Nueva York tal como la conocemos.

Es una ciudad en la etapa final de su decadencia: las paredes de los rascacielos, que alguna vez se erigieron con sus bordes afilados y sus pulcras fachadas, hoy se encuentran agrietadas, manchadas de hollín y a punto de desmoronarse. Cientos de locales, en lo que alguna vez fue la próspera Quinta Avenida, están cerrados, vacíos y en ruinas. A lo largo de las aceras repletas de basura, el alumbrado de las calles no funciona, las ventanas están rotas y las personas sin hogar pueden verse en la sombra de cada esquina.

Eddie Willers recorre estas calles desoladas con una sensación de pavor inexplicable. Los periódicos están repletos de historias trágicas y aterradoras, las fábricas están cerrando, y la infraestructura industrial del país se está desmoronando, mientras el gobierno federal asume poderes dictatoriales en nombre de la emergencia. Al mismo tiempo, circulan rumores sobre un misterioso barco pirata moderno en alta mar que hunde buques de ayuda gubernamental.

Cuando Eddie se acerca al edificio de Taggart Transcontinental, sede del portentoso sistema ferroviario donde trabaja como asistente de Dagny Taggart, reflexiona sobre el último accidente de tren de este sistema, el constante declive de su negocio de transporte marítimo y la desconcertante pérdida de sus últimos trabajadores más competentes y hábiles. De hecho, en estos días, parece que en todas partes los grandes científicos, ingenieros y empresarios se están jubilando o simplemente están desapareciendo.

De repente, un mendigo sale detrás de una puerta en la penumbra a pedirle monedas. Mientras Eddie hurga en sus bolsillos, el mendigo se encoge de hombros con resignación y murmura una expresión de jerga popular que resume el sentimiento general de malestar de esta sociedad:

¿Quién es John Galt?

Nos encontramos entonces con la jefa de Eddie, Dagny Taggart, en un tren camino a Nueva York. Dagny estaba descansando, cuando de repente, se desvela gracias a que un operario del tren silba una llamativa melodía. Dagny, cautivada por la curiosidad, le pregunta de dónde era esa melodía que no lograba reconocer. Él le dice que es el quinto concierto de Richard Halley. ¿Quinto concierto?

Halley había dejado de componer y desapareció misteriosamente después de escribir solo cuatro conciertos. Ella lo confronta al respecto, y él se da la vuelta abruptamente, explicando que se había equivocado. Dagny presiente que el operario estaba intentando ocultar algo.

Dagny regresa a su oficina, donde trabaja incansablemente para salvar el negocio familiar que su hermano, el presidente del sistema, James Taggart, parece estar empeñado en destruir. Como el resto de la sociedad industrial, su ferrocarril se está desmoronando a medida que sus trabajadores más talentosos y capaces renuncian y desaparecen inexplicablemente. A pesar de las objeciones de su hermano, Dagny decide reemplazar la vía de Colorado que está al borde del colapso, con un nuevo riel hecho de metal Rearden, la nueva aleación no probada pero revolucionaria de Hank Rearden. Al final del día, recibe la visita de uno de los jóvenes más prometedores del sistema: Owen Kellogg. Él la sorprende al renunciar, sin explicación alguna, a pesar de su oferta laboral de promoverlo para encabezar la división de Ohio.

Cuando Dagny le pregunta por qué, él solo responde: "¿Quién es John Galt?"

En una carretera desierta, Hank Rearden camina a casa desde el trabajo, emocionado por haber concebido el primer producto de Rearden Metal. En su bolsillo hay una pulsera, el primer objeto fabricado con este metal: un regalo para su esposa, Lillian. Al llegar a casa encuentra a su madre, a su esposa, a su hermano Phillip y a Paul Larkin, un amigo de la familia, quienes lo increpan por haber llegado tarde y por trabajar en exceso.

Lillian, con sarcasmo, se burla de su labor y exclama que será la burla de la ciudad por llevar en su nueva pulsera el mismo material que se usa para construir puentes, tuberías de alcantarillado y cosas por el estilo. Mientras tanto Phillip, quien está trabajando en una organización benéfica de izquierda llamada "Amigos por la Conciencia Global" para ayudar a los más desfavorecidos, busca una donación de Rearden, pero prefiere que sea anónima, ya que su equipo no estaría nada orgulloso de estar vinculado al titán de acero.

Mientras reflexiona sobre la ingratitud de su familia, Paul Larkin advierte a Rearden sobre la lealtad del lobbista de Rearden Steel en Washington, Wesley Mouch. Sin que Rearden lo sepa, James Taggart ha estado conspirando con Mouch, Larkin y el presidente de la empresa siderúrgica rival Orren Boyle para aprobar leyes que aplastarían a cualquier ferrocarril regional competidor en Colorado y, eventualmente, paralizarían también las operaciones side-rúrgicas de Rearden.

La destrucción de su competencia regional termina obligando al petrolero de Colorado Ellis Wyatt, cuyos campos petroleros alimentan a la nación, a embarcarse con Taggart Transcontinental. Sin embargo, la línea Colo-rado del sistema Taggart se encuentra en muy mal estado. Wyatt decide darle a Dagny un duro ultimátum: o la línea está lista para manejar toda su carga en nueve meses, o enfrentará la ruina económica. "Si fracaso", promete, "me aseguraré de que todos fracasen conmigo".

Aquí entra, entonces, Francisco d'Anconia, el dueño de la empresa d'Anconia Copper y antiguo amante de Dagny, con quien, años atrás, terminó su relación sin ex-plicaciones y de una manera abrupta. Desde entonces, los periódicos empezaron a informar que este hombre a quien ella había amado, se había convertido en un seductor repleto de vicios a nivel internacional.

Cuando México nacionaliza repentinamente las minas de cobre de San Sebastián de Francisco d'Anconia, todos se sorprenden al saber que estaban vacías y completamente inútiles. Sabiendo que Francisco nunca haría una mala inversión, Dagny sospecha que toda la debacle era producto y consecuencia de él mismo. Cuando ella lo desafía, Francisco confirma alegremente que esperaba la nacionalización y que, conscientemente, se había permitido perder millones, con el simple objetivo de arruinar a sus principales inversores, incluidos Jim Taggart y Orren Boyle. Añade, sin dar más detalles, que su objetivo final es arruinar a la propia Dagny.

En la fiesta de aniversario de la boda de Rearden y su esposa Lillian, un grupo de intelectuales prominentes invitados por Lillian condena en voz alta todos los valores y virtudes que encarna Hank Rearden: razón, independencia, interés propio y orgullo por los logros productivos. Solo Francisco d'Anconia, el supuestamente despreciable mujeriego, pronuncia unas palabras a su favor.

Hank Rearden descubre que no solo sus valores están siendo atacados, sino también su negocio. Cuando Rearden se niega a vender todos los derechos de Rearden Metal al Instituto de Ciencias del Estado federal, el gobierno toma represalias sacando una advertencia de seguridad pública contra el metal, haciendo que el trabajo en la línea ferroviaria de Colorado se detenga. Dagny, por su parte, implora al renombrado físico Dr. Robert Stadler, quien dirige el Instituto, que se retracte de la indefendible declaración. Sin embargo, Stadler se niega, ofreciendo excusas políticas con un alto grado de cinismo.

Para justificarse, le cuenta sobre los tres estudiantes más prometedores que tuvo cuando enseñaba física en la Universidad Patrick Henry. Uno de ellos, Ragnar Danneskjöld, se convirtió en un pirata que saquea barcos de "ayuda" gubernamental. El segundo, Francisco d'Anconia, se convirtió en un mujeriego inútil. Y el tercero se perdió de vista, sin siquiera hacerse un nombre, pero antes de irse, maldijo a Stadler por poner en marcha el Instituto de Ciencias del Estado.

Para poder continuar trabajando, Dagny obliga a Jim a "venderle" temporalmente su línea de Colorado como una empresa separada. Ella lo llama "la línea John Galt", desafiando la desesperación generalizada que simboliza aquella frase popular. Mientras tanto, Rearden se ve obligado por la extorsión gubernamental a ceder la propiedad de muchas de sus subsidiarias, incluidas sus minas de mineral.

Aún así, a pesar de la enorme oposición y los obstáculos, Dagny y Rearden completan la Línea John Galt antes de la fecha límite que Ellis Wyatt les había dado. Para demostrar la seguridad del metal Rearden, son los primeros en viajar en tren utilizando la nueva línea a Colorado. Mientras el tren acelera triunfalmente a través de Estados Unidos, los dos comparten en silencio su victoria sobre años de adversidad e irracionalidad. Y con cada milla que pasa, la corriente subterránea de atracción va creciendo entre ellos.

Esa noche, en casa de Ellis Wyatt, Rearden y Dagny ya no pueden resistir sus sentimientos, y comienzan una aventura secreta y apasionada. No obstante, Rearden se siente consumido por la culpa que le produce haber roto sus votos matrimoniales, mientras que Dagny se siente

perturbada por los comentarios burlones de Rearden sobre su inmoralidad. Sus palabras despiertan un conflicto
interno que aún debe resolver.

Deciden tomarse unas vacaciones juntos, y mientras
conducen a través de las ciudades de Wisconsin que han
vuelto a la primitividad preindustrial, visitan las ruinas
vacías de la Twentieth Century Motor Company, una fábrica que alguna vez fue exitosa y que fue destruida por
sus herederos indignos. Allí, Dagny hace un descubrimiento sorprendente: los restos de un motor revolucionario que una vez había convertido la electricidad atmosféri-
ca estática en electricidad de uso diario, pero no hay ninguna pista sobre su inventor, sobre cómo funcionaba su
máquina, o la razón por la que habría abandonado un
invento tan monumental.

De regreso a Nueva York, se encuentran con que los
grupos de presión política están impulsando aún más regulaciones anti-empresariales. Mientras Rearden trabaja
febrilmente para producir metal Rearden, a pesar de la
pérdida de sus minas de mineral, una economía en ruinas
y un entorno políticamente cada vez más hostil, Dagny
comienza una búsqueda privada por todo el país en busca
del inventor del motor. Le advierten que un inventor había
sido el brillante joven ingeniero de Twentieth Century
Motor Company, pero el nombre real del mismo sigue
siendo una incógnita.

Dagny se dirige al restaurante donde le han contado
que trabaja un amigo del joven ingeniero como cocinero.
Allí, se come la mejor hamburguesa que ha probado en su
vida y se sorprende al descubrir que el hombre que la pre-
paró es el Dr. Hugh Akston, un gran filósofo que trabajaba
en la Universidad Patrick Henry, y quien, como Stadler,

había enseñado a Francisco y a Ragnar Danneskjöld. Se niega a explicar por qué dejó su profesión, al igual que su presencia actual como cocinero de comida rápida. Admite, además, saber quién inventó el motor pero se niega a revelar su nombre. En su lugar, le dice a Dagny que si bien ella no encontrará al inventor, algún día él la encontrará a ella.

Cuando Dagny se enfurece ante el misterio y las aparentes contradicciones y paradojas de la situación que está investigando, Akston le dice que revise sus premisas.

Al regresar a Nueva York, Dagny se entera de otra serie de nuevas regulaciones anti-comerciales que limitan la velocidad del ferrocarril, la longitud de los trenes y la producción de ciertas aleaciones metálicas. Si bien todas avanzaron en nombre de la justicia y la seguridad, todas estas nuevas leyes parecen apuntar a la nueva línea Galt de alta velocidad de Taggart Transcontinental y a Rearden Metal. Como si eso fuera poco, se da cuenta de que las regulaciones también destruirán a Ellis Wyatt, el hombre al que había prometido proveer líneas operativas ferroviarias para transportar su producto.

Dagny recuerda el severo ultimátum de Wyatt y se apresura a alcanzar el tren para ir a verlo, pero lo primero que encuentra al llegar son los campos de Wyatt Oil en llamas y el siguiente mensaje de Wyatt escrito a mano: "Lo dejo como lo encontré. Tómenlo. Es suyo."

Partes dos: Una cosa o la otra

A raíz de las nuevas políticas gubernamentales punitivas y confiscatorias, la industria petrolera de la nación se ha derrumbado. Al igual que Wyatt, muchos otros líderes empresariales de Colorado desaparecen.

Dagny se reencuentra con Stadler y le pide que lea las notas fragmentarias que dejó el inventor del motor para tratar de conocer su identidad. Stadler se encuentra asombrado pero también algo enojado, porque el genio desconocido había decidido trabajar para aplicaciones industriales en lugar de trabajar en teoría pura, y se sentía insultado porque el hombre nunca se había acercado personalmente a Stadler para compartir sus innovadoras teorías. Stadler comenta que conoció a John Galt una vez: una mente tan brillante que, de haber vivido, el mundo entero estaría hablando de él.

"Pero todo el mundo habla de él", señala Dagny. Perturbado, Stadler lo descarta como una coincidencia sin sentido. "Tiene que estar muerto", dice con un énfasis curioso.

Mientras tanto, el gobierno incorpora a un joven oficial de cumplimiento en Rearden Steel para asegurarse de que la empresa cumpla con las nuevas regulaciones. Los trabajadores de Rearden apodan al joven como "nodriza" y hacen caso omiso de sus reprimendas por su actitud poco cooperativa.

Poco después, el Instituto Estatal de Ciencias vuelva a acercarse a Rearden, esta vez con la orden de solicitar a su empresa la ejecución de un misterioso "Proyecto X". Él se niega, incitando al Instituto a tomar el metal por la fuerza si así lo desean, a lo que el mensajero del Instituto reacciona con preocupación y horror.

Esto provoca la epifanía de Rearden: para que los planes en su contra tengan éxito, sus enemigos necesitan de su propia cooperación. Al mismo tiempo, comienza a darse cuenta de que lo que siente por Dagny no refleja lo peor dentro de él, sino lo mejor.

A estas alturas, Dagny ha concluido que hay un "destructor" que elimina deliberadamente a los hombres exitosos del mundo por alguna razón inconcebible. En cuanto al motor, contrata a un brillante joven científico de Utah, Quentin Daniels, para que intente reconstruirlo.

Rearden vende en secreto Rearden Metal al magnate del carbón Ken Danagger, una transacción que resultó ilegal debido a la directiva de la empresa. Se le ocurre la inquietante idea de que sus únicos placeres, en el trabajo y en su vida romántica, deben mantenerse ocultos, como aspectos personales repletos de culpa. Mientras tanto, Lillian, a quien ha ignorado durante meses, comienza a sospechar que está teniendo una aventura y exige a Rearden que la acompañe a la boda del hermano de Dagny, Jim Taggart, que se encuentra ahora comprometido con una joven e ingenua empleada llamada Cherryl, y quien lo admira por lo que ella cree que es su ingenio para manejar la industria ferroviaria. Jim disfruta de su adulación ciega y, maliciosamente, de los incómodos intentos de Cherryl por moverse dentro su círculo social.

A su boda asiste un grupo de corruptos conformado por personas culturalmente prominentes y con claras conexiones políticas. En una de las salas, Lillian se acerca a Jim, insinuándole que el control que tiene sobre su esposo puede aprovecharlo para intercambiarlo por algo más. Luego, Francisco interrumpe la fiesta y se acerca a Dagny, explicandole que, al parecer, John Galt ha venido a reclamar la línea del ferrocarril que ella nombró en su honor. Al escuchar el comentario de una viuda sobre cómo "el dinero es la raíz de todos los males", Francisco pronuncia un discurso improvisado en el que defiende la obtención de dinero por motivos morales, como un símbolo de avances, libre comercio y justicia.

Francisco se acerca a Rearden y admite que sus palabras estaban destinadas a él, con el fin de armarlo moralmente para autodefenderse. Rearden se siente agradecido, hasta que Francisco revela que está destruyendo deliberadamente d'Anconia Copper, precisamente para dañar a los saqueadores que se aprovechan de sus habilidades. Rearden retrocede horrorizado. Así que Francisco explica, en voz alta, que su empresa está en problemas. A medida que la noticia corre a lo largo de la multitud presente aquella noche, entre los que se encuentran algunos de los inversores de d'Anconia, el ambiente de celebración se convierte en un ambiente de pánico.

Lillian confronta a Rearden una vez acabada la fiesta, con la sospecha de que él está manteniendo una aventura con alguien más, presumiblemente con alguna mujerzuela. Rearden admite haber tenido una aventura, pero se niega a identificar a su amante o, incluso, a dejar de verla. Sin embargo, por razones que no comprende, Lillian se niega a divorciarse de él.

Poco después, Rearden recibe la visita del Dr. Floyd Ferris del Instituto de Ciencias del Estado. Ferris lo amenaza con enviarlo a prisión por vender Rearden Metal a Ken Danagger, a menos que también acceda a venderlo al Instituto de Ciencias del Estado. Tras vislumbrar una falla en este plan de chantaje, Rearden se niega una vez más.

Durante un encuentro en la cafetería Taggart, Eddie abre su corazón a un antiguo confidente, un trabajador reconocido cuyo nombre ha olvidado mucho tiempo atrás, a quien le revela las sospechas de Dagny sobre el "destructor" y su gran temor de que Ken Danagger sea el próximo en irse, al igual que su intención de visitarlo de inmediato para intentar evitar que aquello suceda.

Cuando Dagny llega a la oficina de Danagger, este se encuentra en una reunión con otra persona. Después de una larga demora, el otro hombre se marcha, sin ser visto, por la entrada trasera: Dagny entra y descubre que es demasiado tarde. Danagger le informa sobre su renuncia. Como Kellogg y Akston, no explica por qué. Dagny se da cuenta de que ha llegado tarde y no ha visto al "destructor", pero Danagger le asegura que nada de lo que ella pueda decir habría importado de todos modos. De repente, Dagny ve en un cenicero, la colilla de un cigarro que lleva impreso en dorado el signo de dólar.

Un día después de la desaparición de Danagger, Francisco visita a Rearden en sus molinos, y comienza a explicarle que al continuar trabajando bajo el control dictatorial del gobierno, Rearden está otorgando una sanción moral a los saqueadores, una sanción que necesitan de él para destruirlo. En el intercambio que dio título a la novela, Francisco pregunta a Rearden qué le diría al titán Atlas de la mitología griega, aplastado por el peso del mundo que lleva sobre sus hombros.

Rearden no tiene respuesta. Francisco admite le diría a Atlas que se encoja de hombros.

Rearden comienza a comprender cuando se ven interrumpidos por una emergencia causada por un horno en los molinos. Él y Francisco trabajan codo a codo para resolver la crisis, pero el instante ha pasado; Francisco decide que aún no es el momento de seguir discutiendo sobre esas cosas.

Durante la cena de Acción de Gracias, Lillian intenta disuadir a su esposo de que tome el estrado de los testigos en su juicio al día siguiente, informándole que no tiene ningún derecho moral a protestar. Sin embargo, Rearden asusta a todos al reprender a su hermano por insultarlo y faltarle el respeto. Todos comprenden que hay un nuevo aire, que tiene una nueva confianza y esto, sin lugar a dudas, parece molestarlos. Al reunirse luego con Dagny, Rearden le informa que tendrá todo el metal que necesita, haciendo caso omiso a las leyes.

En su juicio, Rearden reconoce cuáles fueron sus intenciones con Danagger, pero se niega a aceptar que fueran inmorales. A cambio, tomando prestadas las palabras de Francisco, ofrece una enérgica defensa moral de su derecho a producir por su propio bien, provocando vítores en la audiencia y dejando a los jueces sin palabras. En lugar de encarcelarlo, parecen entrar en pánico y anulan su sentencia. Rearden sonríe, comenzando a captar el concepto de "la sanción de la víctima".

Atraído por la curiosidad de la incongruente reputación de Francisco como un mujeriego, Rearden lo visita y lo encuentra trabajando con unos planos. Francisco admite que su reputación ha sido un mero camuflaje para un propósito personal y secreto. Negando que haya sido promiscuo, explica el significado moral del sexo, y sin saberlo, también se está ocupando de los propios conflictos sexuales privados de Rearden. Sintiendo una creciente camaradería, Rearden revela que acaba de realizar un pedido enorme y que se necesita con urgencia a d'Anconia Copper.

Horrorizado, Francisco salta al teléfono y luego se detiene. En evidente angustia, le jura solemnemente a Rearden, por la mujer que ama que, a pesar de lo que está a punto de suceder, sigue siendo su verdadero amigo.

Poco después, Ragnar Danneskjöld hunde los barcos de d'Anconia que transportaban cobre a Rearden. Rearden se siente abrumado por una sensación de traición personal, y se da cuenta de que Francisco, de alguna manera, estaba al tanto del hundimiento de antemano y aunque podría haberlo detenido, no lo hizo.

Es la primera vez que Rearden Steel no entrega un pedido a tiempo. La demora en el envío de metal Rearden a Taggart Transcontinental inicia una reacción económica en cadena que resulta devastadora, paralizando trenes, estropeando envíos de alimentos, obligando a los agricultores a quebrar y a las fábricas a cerrar, provocando el cierre de puentes deteriorados a través del Mississippi, y dejando el famoso Puente Taggart como último medio para cruzar el río.

Mientras tanto, el carbón que Taggart Transcontinental necesita desesperadamente es desviado para ayuda extranjera, el gobierno censura las noticias de los periódicos sobre los desastres y sus causas, y los pisos superiores de los edificios se cierran para ahorrar combustible. Ante esta situación, Rearden se ve obligado a hacer tratos con bandas contratadas para extraer carbón de noche en minas abandonadas.

Con la industria de Colorado ahora en ruinas, la junta directiva de Taggart Transcontinental se reúne para cerrar formalmente la línea John Galt. A cambio del permiso para cerrar la línea, un burócrata del gobierno les insta a aumentar todos los salarios de los trabajadores de la empresa. De esta forma, intentan empujar a Dagny para que declare abiertamente la decisión final de cerrar la línea; pero, siguiendo el ejemplo del juicio de Rearden, se niega a ayudarlos y a otorgar una sanción moral por sus acciones asumiendo la responsabilidad de aventurar una opinión. Finalmente, y de manera inevitable, someten el asunto a votación.

Seguidamente, Francisco la espera. "¿Han asesinado finalmente a John Galt?", pregunta suavemente mientras la consuela en un café cercano. Luego, le pregunta por qué los constructores heroicos, como el fundador del ferrocarril, Nat Taggart, siempre han perdido las batallas contra cobardes como los que están en la dirección de Taggart Transcontinental. Mientras ella reflexiona sobre esto, él reflexiona en voz alta, casi en forma abstracta, sobre cómo su antepasado, Sebastián d'Anconia, tuvo que esperar quince años por la mujer que amaba. Dagny está asombrada por esta confesión tácita pero responde fríamente preguntándole por qué ha lastimado a Hank Rearden. Francisco responde, solemnemente, que le habría dado la vida a Rearden si no fuera por el hombre a quien ya se la había entregado.

Más tarde, al darse cuenta de la pregunta familiar grabada en el tablero, ofrece su respuesta: "John Galt es Prometeo que cambió de opinión". Después de ser desgarrado por los buitres por brindar fuego a los hombres, dice Francisco, Galt "no retiró su fuego hasta el día en que los hombres retiraron sus buitres".

En Colorado y acompañada por Rearden, Dagny supervisa las secuelas del cierre de la línea: máquinas de limpieza de las fábricas cerradas, observando cómo se vacían las ciudades y viendo cómo los refugiados abarrotan los últimos trenes que parten.

Mientras tanto, ansioso por obtener más influencia en Washington, Jim conspira con Lillian para entregar a Rearden a los burócratas. Lillian descubre que su esposo viaja a casa en tren con un nombre falso, presumiblemente con su amante. Cuando se encuentra con el tren que los transportaba para enfrentarlos, nota que Rearden no está con cualquier mujer, sino con Dagny Taggart.

Lillian está devastada y aterrorizada. Ahora comprende por qué falla el control que trata de ejercer sobre su esposo y, al mismo tiempo, comprende su comportamiento sin complejos en el juicio: Dagny ha empoderado a su esposo para que deje de sentir culpa.

"¡Cualquiera menos ella!" le grita aterrorizada, pero Rearden es indiferente al intento de Lilian por hacerlo sentir culpable, o incluso, a renunciar a Dagny. En los viles insultos de Lillian contra Dagny, Rearden se da cuenta de que la suya había sido su propia visión del sexo. Aunque Lillian le explica que no se divorciará de él, Rearden por fin se siente liberado y sin culpa. Sin embargo, Lillian siente que su esposo quiere que la aventura con Dagny se mantenga en secreto y, entiende además, que puede usarse como un arma.

Sin previo aviso, el gobierno emite la Directiva 10-289, una medida reglamentaria que ejerce el control total de toda la economía y ordena que se congelen todos los acuerdos económicos existentes. Todas las patentes de invenciones deben entregarse al gobierno en forma de certificados de regalo. Además, para evitar que desaparezcan las personas con talento, la ley prohíbe a cualquier persona renunciar a su trabajo.

Es el colmo para Dagny, quien arroja un periódico a la cara de James Taggart y dimite. Dagny se va a la casa de campo de los Taggart, dejando que solo Eddie sepa su paradero. Rearden se queda atrás, confiado en que puede dinamitar la nueva directiva simplemente negándose a cumplir con la orden de ceder sus patentes a Rearden Metal.

En respuesta a la directiva, un clima de rebelión silenciosa recorre la nación. Cada día, más personas no se presentan a trabajar. Incluso la "nodriza" de Rearden está indignada y promete mirar para otro lado si Rearden opta por violar las leyes. Mientras tanto, Lillian desaparece misteriosamente en un viaje de vacaciones.

Una mañana de primavera, el Dr. Floyd Ferris llega a los molinos de Rearden. Floyd revela que el gobierno ha sido alertado por Lillian sobre la aventura de Rearden con Dagny. Si Rearden no firma el certificado de regalo que transfiere Rearden Metal al gobierno, Ferris expondrá el asunto en los medios de comunicación, manchando la reputación de Dagny en un escándalo. Rearden de repente se da cuenta en profundidad de los motivos de sus enemigos y de las premisas morales que han causado tal conflicto en su vida, pero negándose a permitir que Dagny cargue con las consecuencias de sus propios errores, firma el certificado de regalo.

A raíz de estos eventos, Eddie Willers le revela el alma a su amigo en la cafetería y también deja escapar el hecho de que Dagny se ha refugiado en la casa de campo de los Taggart.

Furioso por la traición de Lillian, Rearden ordena a su abogado que le consiga el divorcio y que la deje sin pensión alimenticia y sin propiedad. Rearden decide mudarse a un apartamento en Filadelfia, y una noche mientras caminaba a casa desde sus molinos, se encuentra con un hombre que le presenta un lingote de oro. El hombre revela que es Ragnar Danneskjöld. Ragnar explica que el oro representa la riqueza saqueada de Rearden y reclamada a la fuerza por Ragnar a los saqueadores. Rearden descubre que no puede condenar a Ragnar por sus acciones, e incluso ayuda al forajido a eludir la persecución de la policía.

En el Túnel de Taggart, que pasa a través de las Montañas Rocosas, el gobierno se apropia de una locomotora diesel que espera para iniciar el recorrido de un burócrata a lo largo del país. Esto deja motores de carbón en la pista. A pesar de la estricta regla del sistema que prohíbe entrar en el túnel con un quemador de carbón humeante, además del hecho de que los sistemas de señalización y ventilación del túnel no funcionan correctamente, un político exige que se le permita pasar a su propio tren. Todos los supervisores responsables han abandonado la división de Colorado, dejando la toma de decisiones en manos de los incompetentes. Acosados por el político, cada uno evade la responsabilidad de decidir, incluso James Taggart, y dejan finalmente la decisión a un joven despachador. Abandonado por sus superiores, el niño firma la orden de entrada del tren al túnel. Millas adentro, la tripulación y los pasajeros son abrumados por los vapores, mientras un tren militar cargado con explosivos se precipita hacia el túnel desde el otro extremo. Ambos chocan en una explosión cataclísmica que termina destruyendo el túnel.

En la casa de campo de los Taggart, Dagny recibe una visita sorpresa de Francisco. Él le explica por qué tenía razón al renunciar y le revela que, por la misma razón, ha estado destruyendo deliberadamente a d'Anconia Copper desde la noche en que la dejó, doce años atrás. Dagny comienza a ver a Francisco bajo una nueva luz, cuando de repente, la radio transmite la noticia sobre la explosión del túnel. Horrorizada, abandona a Francisco y se apresura a regresar a Nueva York.

Después de un día agotador lidiando con la emergencia, Dagny regresa a su apartamento, donde es visitada nuevamente por Francisco. A estas alturas, ella es inmune a sus argumentos, pero es consciente de que él es parte de la conspiración del "destructor". De repente, la puerta se abre y Hank Rearden está allí, con la llave del apartamento de Dagny en la mano.

Rearden exige saber por qué Francisco se encuentra en el apartamento. Francisco se da cuenta y acepta que Rearden es el amante de Dagny. Enfurecido por lo que él cree que ha sido la traición de Francisco a su amistad, Rearden exclama: "Ahora sé lo que querías decir... tu amistad y tu juramento por la única mujer que alguna vez..."

De repente, todos saben lo que esto significa. Rearden da un paso adelante y pregunta: "¿Es esta la mujer que amas?"

Francisco mira a Dagny y responde: "Sí". Rearden lo golpea. Manteniendo el temperamento, Francisco se inclina y se despide.

Rearden de repente desea desesperadamente no haber reaccionado como lo había hecho. Dagny le revela a Rearden que Francisco había sido su primer amante. En esta confusión, son interrumpidos por un mensaje de Quentin Daniels: una carta de renuncia. Este se niega a seguir trabajando en el motor según la Directiva 10-289. Dagny lo llama por teléfono a Utah y le ruega que se reúna con ella primero. Daniels le da su palabra y explica que esperará su visita.

Cuando Rearden se retira, Dagny llama a Eddie para que reciba instrucciones mientras hace las maletas para el viaje. Eddie se da cuenta de que en su armario hay una bata de hombre con las iniciales de Hank Rearden. Aplastado por los celos, Eddie se da cuenta por primera vez de lo mucho que Dagny ha significado para él. Esa noche en la cafetería le abre el corazón a su amigo, quien menciona que Dagny está en camino para tratar de convencer a Daniels de que no abandone su labor y desempeño, dejando luego escapar el descubrimiento de que se acuesta con Rearden. Ante esta noticia, el trabajador parece inexplicablemente afectado y sale corriendo.

Dagny viaja en tren por todo el país hacia su encuentro con Daniels cuando se tropieza casualmente con un vagabundo hambriento, quien explica que una vez había sido maquinista en la Twentieth Century Motor Company. Un día, los herederos de la empresa llevaron a cabo un plan de pago socialista, basado en el principio de que todos "trabajarían según su capacidad, pero se les pagaría según sus necesidades". En la práctica, esto significó que los trabajadores capacitados fueron castigados con más horas y obligados a apoyar a los trabajadores "más necesitados", los vagos e incompetentes, con una compensación suficiente para satisfacer todas sus supuestas necesidades. Al cabo de un mes, todos ocultaban sus habilidades, pero afirmaban una profusión de "necesidades", y la producción se desplomó hasta que la fábrica quebró.

El plan, continúa el vagabundo, había sido aprobado en una reunión masiva de trabajadores. Después de la votación, un joven ingeniero se puso de pie. Hablando con confianza moral dijo que "pondría fin a esto" deteniendo "el motor del mundo". A medida que pasaban los años, las

fábricas cerraban y la economía se detenía, el vagabundo
y sus compañeros de trabajo se preguntaban por el joven
ingeniero, y empezaron a hacer la pregunta desesperada
que ahora está en boca de todos. "Verá", le dice a Dagny,
"su nombre era John Galt".

El viaje de Dagny se interrumpe cuando la tripulación
del tren en el que iba, deserta por la noche en medio de la
nada. Se sorprende al ver a Owen Kellogg, el joven que
había rechazado su oferta de trabajo, viajar en el tren,
sumergido en unas vacaciones a lo largo de un mes. Kellogg la acompaña a pie por la pista para pedir ayuda y, en
el camino, Dagny descubre que él también es parte de la
conspiración. Después de hacer arreglos para que la ayu-
den a llegar al tren que se encontraba parado, se apodera
de un pequeño avión en un aeródromo cercano y vuela
sola a Utah para reunirse con Daniels, pero al llegar al
aeropuerto le comentan que Daniels partió con otro hombre, en un avión que acababa de despegar.

Decidida a no perder a Daniels por el "destructor" que
lo lleva en vilo, Dagny despega de nuevo y corre tras las
luces distantes del otro avión. La larga persecución los
lleva a los tramos más salvajes de las Montañas Rocosas de
Colorado. Inesperadamente, el avión del extraño comienza a dar vueltas y a descender sobre un terreno montañoso
increíblemente accidentado, desapareciendo detrás de
una cresta. Cuando Dagny llega al lugar, no ve nada debajo
más que un valle rocoso e inaccesible entre paredes de
granito: no ve ningún lugar concebible para un aterrizaje,
pero tampoco ve ninguna señal del otro plano. Dagny desciende pero no logra ver nada. Su altímetro la muestra
cayendo; sin embargo, extrañamente, el fondo del valle
parece no acercarse.

De repente hay un destello de luz cegadora y su motor muere. Su avión gira en espiral hacia abajo, no hacia rocas irregulares, sino hacia un campo de hierba que no había existido un segundo antes. Luchando por controlar el avión, escucha en su mente la odiada frase, no desesperada, pero esta vez desafiante: "¡Oh diablos! ¿Quién es John Galt?"

Parte Tres: A es A

Cuando abre los ojos, Dagny está mirando el hermoso y orgulloso rostro de un hombre de cabello castaño veteado por el sol y de unos ojos verdes que no muestran rastro de dolor, miedo o culpa. El hombre le revela que es John Galt.

Galt lleva a la mujer herida lejos del accidente. Explica que su avión había penetrado una pantalla de rayos proyectando una imagen refractada, como un espejismo, destinada a camuflar la existencia del valle, y que la pantalla de rayos había apagado el motor de su avión.

Galt la lleva por el frente de una pequeña casa, donde el sonido de un piano levanta los acordes del quinto concierto de Halley. "Es la casa de Halley", explica Galt. Al llegar a una cornisa sobre el valle, ven un pequeño pueblo extenderse por debajo. Cerca de allí, dominando el valle como un escudo de armas, hay un signo de dólar de oro macizo de un metro de alto: "una broma privada de Francisco", explica.

Un automóvil se detiene y sus dos ocupantes se acercan. Ella reconoce a Hugh Akston. El otro hombre es presentado como Midas Mulligan, el financiero más rico del mundo, que también había desaparecido hace años.

Sonriendo, Akston le comenta que nunca esperó que la próxima vez que se verían, la encontrara en los brazos del inventor del motor. Asombrado, Dagny pregunta si la historia de su salida de Twentieth Century Motor Company es cierta, y Galt se lo confirma. Él ha cumplido, dice, su promesa de "detener el motor del mundo".

Luego la conduce por el valle, donde se encuentra con otros que han abandonado su mundo: Quentin Daniels, Dick McNamara, su antiguo contratista, Ellis Wyatt, Ken Danagger, entre otros.

Galt detiene el automóvil frente a una solitaria cabaña de troncos; encima de la puerta se observa el escudo de armas de d'Anconia. Dagny sale del automóvil mirando el escudo plateado, recordando las palabras del hombre al que una vez amó. "Ese fue el primer hombre que te quité", exclama Galt.

El recorrido termina en la central eléctrica de la ciudad, donde un motor conduce la electricidad al valle. En ella hay una inscripción: **JURO POR MI VIDA Y POR MI AMOR A ELLA, QUE NUNCA VIVIRÉ PARA OTRO HOMBRE, NI PEDIRÉ A OTRO HOMBRE QUE VIVA PARA MI.** Galt explica que es el juramento que hacen todas las personas del valle, excepto Dagny. Recitadas en voz alta, las palabras también son la clave para abrir la puerta.

Esa noche asisten a una cena en casa de Mulligan con varios de los hombres prominentes que habían desaparecido de su mundo, y cada uno de ellos relata las razones de sus respectivas renuncias. Galt explica que están en huelga contra la moralidad del autosacrificio y el desdén de la mente, la producción y la riqueza.

Dagny pregunta por su motor. Por el bien de lo que significó para él, explica, tenía que estar dispuesto a abandonarlo, "al igual que tu tendrás que estar dispuesta a dejar que la barandilla de Taggart Transcontinental se desmorone y desaparezca".

Galt la lleva de regreso a su casa, a la habitación de huéspedes y la coloca sobre la cama. Cada uno se encuentra intensamente consciente de la presencia física del otro.

Al día siguiente, reciben la visita de Ragnar Danneskjöld. Galt y Ragnar se preocupan por Francisco, quien, de un modo inexplicable, se demora en sus vacaciones por el valle. Galt le dice a Dagny que debe quedarse todo el mes, y ella insiste en ganarse el sustento como cocinera y asistente de Galt.

Cuando Owen Kellogg llega días después, le comenta que todos, incluido Hank Rearden, creen que Dagny se estrelló en las montañas, y que se encuentran buscando sus restos, pero explica además que las reglas del valle no permiten ninguna comunicación con el mundo exterior.

Un día, en su habitación, Dagny oye una voz familiar: la de Francisco. Le dice a Galt con tristeza que debe irse de nuevo inmediatamente. Ella escucha a Galt responder que antes de hacerlo, debería ver la "rompehuelgas" que vive en su habitación de invitados. Francisco se ríe y abre su puerta.

Seguidamente, Francisco se encuentra de rodillas, abrazándola, pero cuando levanta la cabeza, sus ojos se ríen. Él le dice que la ama, que no importa que ella ame a Rearden, solo le importa que esté viva y en un lugar donde todo sea posible. Recordando la noche, doce años antes, en que la dejó, explica que Galt había hablado con Ragnar y con él mismo ese día para reclutarlos para su ataque. Ver a Dagny y prever su lucha desesperada lo había convencido de ser el primero en unirse a la huelga, y concluye diciéndole que no la culpa por estar enamorada de Rearden.

Pero Dagny se da cuenta de que esto ya no es cierto. En los días siguientes, ella y Galt soportan la tensión de una atracción abrumadora pero imposible: entre la mujer consagrada a salvar a Taggart Transcontinental y el hombre decidido a destruirlo.

Por fin llega la noche en la que, en la casa de Midas Mulligan, los huelguistas le piden que decida entre unirse a la huelga o volver al mundo. Mientras reflexiona, Mulligan le pregunta a Galt si ha decidido regresar a Nueva York, a lo que Galt responde crípticamente que no está seguro. Sorprendido, Mulligan advierte con detalles gráficos cómo será el caos social que se avecina. Cuando dice que el Puente Taggart se caerá, Dagny grita: "¡No, no lo hará!", y decide regresar.

Caminando a casa esa noche, Francisco, que ha estado mirando pensativamente a Galt y a Dagny, los invita a tomar una copa en su cabaña, y le pregunta a Galt, casualmente, si finalmente ha decidido regresar o no a Nueva York. Galt responde que sí. Francisco, con una mirada comprensiva, los observa a ambos. De las copas de plata de sus antepasados españoles, comparten un brindis que sella su mutua aceptación.

Galt y Dagny pasan su última noche, desvelados, durmiendo en habitaciones separadas en la casa de Galt. A la mañana siguiente, después de asegurar su promesa de mantener el secreto sobre el valle, Galt lleva a Dagny en avión, con los ojos vendados, a un pueblo agonizante y la deja en un mundo con las mismas características... un mundo en el que el Dr. Floyd Ferris convoca al Dr. Robert Stadler a la primera demostración pública del "Proyecto X" del Instituto Estatal de Ciencias, una invención secreta de la cual Stadler no sabe nada. Los medios de comunicación y figuras nacionales están presentes, incluido el Sr. Thompson, jefe de estado. Ferris anuncia que el "Proyecto X" es un dispositivo de rayos sónicos, "un instrumento invaluable de seguridad pública" con un radio de cien millas. Es, anuncia, una aplicación práctica de las propias teorías científicas de Stadler: de hecho, las ideas y la reputación de Stadler permitieron planificar y financiar el proyecto. El físico y los espectadores se horrorizan cuando, en la demostración, el rayo aniquila una granja lejana. Pero cuando Ferris le entrega un discurso preparado para tranquilizar a la multitud, Stadler obedece dócilmente.

Dagny regresa a la ciudad de Nueva York ya estando al borde del colapso. Le da una llamada a Hank, quien se sorprende de alivio al escuchar su voz, pero se desconcierta cuando Dagny no responde a las preguntas sobre dónde ha estado y por qué no se ha comunicado con él.

Eddie le dice que en su ausencia un Plan de Unificación de Ferrocarriles, dirigido por un matón llamado Cuffy Meigs, ha nacionalizado los ferrocarriles de la nación. Todos deben permitir que los trenes de sus competidores utilicen su vía sin cargo. Sus ingresos se agrupan y se obtienen en forma de subsidios gubernamentales, basados en kilómetros de vías, no en tráfico. Debido a que Taggart tiene la mayor cantidad de pistas, está ganando dinero y destruyendo a sus competidores.

Jim insiste en que vaya a la radio en nombre del gobierno, para asegurarle a la nación que no se ha marchado. Dagny se niega, y esa noche recibe una visita sorpresa de Lillian. La esposa de Rearden revela por qué había firmado los "Certificados de regalo" y ahora intenta usar el mismo chantaje sobre el asunto para obligar a Dagny a aparecer en el programa de radio. Dagny acepta con frialdad; luego, al aire, le dice al mundo con orgullo que ha sido la amante de Rearden durante dos años y expone públicamente el plan de chantaje.

Dagny encuentra a Rearden esperando en su apartamento, donde él confiesa su amor por ella y su liberación de la culpa. Dagny también le cuenta, serenamente, lo que había adivinado: que durante el mes de su desaparición conoció al hombre que ahora ama, y por eso no lo había contactado. Dagny confirma que existe el "John Galt" de la leyenda, que es el inventor del motor y "el destructor", y que es también el hombre que ama.

Mientras tanto, James ha estado conspirando con políticos latinoamericanos para acabar de una vez por todas con d'Anconia Copper, programando en secreto su nacionalización global para el 2 de septiembre. James, siente la necesidad de celebrar y regresa a casa con su joven esposa, Cherryl, quien al año de su matrimonio, se entera de que su marido no es el hombre que alguna vez había imaginado. Ella ha visitado a Eddie, quien ha revelado la verdad sobre quién dirige realmente Taggart Transcontinental. Ahora, la necesidad de justificarse obliga a James a jactarse ante ella de la próxima nacionalización de d'Anconia Copper. Disgustada, Cherryl se marcha, visita a Dagny y se disculpa por los insultos que ha dicho en el pasado, explicando que ahora se da cuenta de que su esposo está motivado por una forma de crueldad que ella no puede entender. Dagny se preocupa: Cherryl parece estar terriblemente frágil.

En el mismo momento, James recibe la visita de Lillian, quien pide ayuda para detener su divorcio pendiente. "¡No quiero dejarlo en libertad!", exclama llorando. "¡No dejaré que toda mi vida sea un fracaso total!". Ambos se emborrachan y luego, motivados por un mutuo y perverso deseo de profanar a Rearden, terminan estando juntos.

Cherryl regresa a casa y se sorprende al escuchar la voz de una mujer en el dormitorio de su esposo. Después de que la mujer se va y se enfrenta a James, él le grita a Cherryl y se jacta de que la persona con la que estuvo era la "Sra. Hank Rearden ". Cuando Cherryl le pregunta por qué se había casado con ella, James le grita que fue precisamente porque la había visto como inútil. Ella retrocede, horrorizada. "Eres un asesino por el simple hecho de matar", exclama.

Con el espíritu destrozado, Cherryl sale corriendo del apartamento, vagando por el vecindario sin saber a donde ir, cuando una trabajadora social la confronta y la regaña, ya es demasiado tarde: Cherryl huye de la mujer y se sumerge en un río hasta morir.

En la mañana del 2 de septiembre, la radio anuncia que justo cuando la legislatura chilena se reunía para nacionalizar d'Anconia Copper, unas explosiones sacudieron los muelles de mineral de la empresa y, simultáneamente, sacudieron también todas las propiedades de d'Anconia Copper en todo el mundo. La fortuna de d'Anconia ha desaparecido, al igual que su dueño. James y sus amigos, que habían invertido en secreto en el cartel que iba a hacerse cargo de los activos nacionalizados, han perdido sus inversiones.

Esa noche, Dagny y Rearden se encuentran en un restaurante. De repente, escuchan un grito ahogado. Más allá de la ventana, están cambiando una enorme página de calendario en un edificio. La fecha desaparece y es reemplazada por un enorme mensaje escrito a mano:

HERMANO, ¡LO PEDISTE!
Francisco Domingo Carlos Andrés Sebastián
d'Anconia.

Entre los gritos de alarma, Hank Rearden se pone de pie, riendo.

En los días siguientes, Dagny trabaja para hacer frente a las emergencias diarias derivadas de la pérdida de cobre. Más negocios en todas partes están cerrando sus puertas; los suministros de todo tipo de materiales se están agotando; y la nación enfrenta el próximo invierno con desesperación ante la escasez de combustible, pero con cada nueva crisis, el gobierno encuentra nuevas formas de empeorar las cosas.

El gobierno ordena que los carros de carga destinados a la cosecha de trigo de Minnesota se desvíen a Luisiana para un proyecto de soja dirigido por personas políticamente conectadas. La cosecha de trigo se amontona y la lluvia la destruye. Los granjeros en bancarrota comienzan a amotinarse y Minnesota se sumerge en un salvajismo primitivo.

Cuando se rompe un cable de cobre, todas las señales se apagan en los túneles debajo de la Terminal Taggart y el tráfico se detiene. Dagny se apresura para llegar a la terminal y hacerse cargo. Desde la escalera de la torre de tráfico subterráneo, organiza una gran cuadrilla de trabajadores para cuidar las vías con linternas y explica que guiarán a los trenes dentro y fuera de los túneles.

Dagny se detiene. Entre los rostros de los hombres que ahora miran hacia arriba, con overoles y mangas grasientas, se encuentra un hombre con cabello cobrizo teñido por el sol y ojos despiadadamente perceptivos. Ella termina sus instrucciones y luego desciende las escaleras, dirigiéndose hacia los túneles abandonados. Él la sigue, y por fin, Dagny Taggart y John Galt consuman su mutuo deseo.

Luego, Galt le explica que durante los últimos doce años había estado trabajando bajo sus pies, como un trabajador común en los túneles. Él le advierte que su encuentro tendría malas consecuencias, porque sus objetivos algún día la obligarían a dirigir a sus enemigos hacia él.

De repente, el gobierno provoca una serie de acciones escandalosas contra Rearden: fomentar la violencia en su planta, exigir aumentos para sus trabajadores, apoderarse de su propiedad con impuestos falsos. Rearden no muerde el anzuelo: permanece en silencio, negándose a responder o protestar. En cuestión de días, recibe abundantes disculpas por "malentendidos" y es invitado a una reunión de funcionarios de alto nivel en el hotel Wayne-Falkland el 4 de noviembre.

Esa mañana, Rearden recibe una llamada de su madre, pidiéndole verlo esa tarde. Cuando llega a su antigua casa, la encuentra a ella con Philip y Lillian: la habían dejado vivir allí en secreto, a sus expensas. Rearden se niega a sus demandas de hacer algo sobre el embargo del gobierno de sus cheques de asignación, y su madre lo acusa de no preocuparse por ellos. "No lo hago", responde. Eventualmente, ella exclama, "si te das por vencido y desapareces, como todos esos hombres que ..."

Ahora lo comprende: aunque su posición es desesperada, y en razón de que su único camino es renunciar, todavía quieren que sacrifique lo último de sí mismo por ellos. Su madre grita que quieren vivir, pero Rearden de repente se da cuenta de que no es así: si hubieran valorado sus vidas, lo habrían valorado a él. Cuando se da vuelta para irse, Lillian, con la voz llena de malicia, le dice que, cuando todavía era su esposa, se había acostado con Jim Taggart. Lilian está destinada a hacerle daño; pero él la mira con total indiferencia. Ante sus ojos, los rasgos de Lillian se relajan; su búsqueda de poder sobre él ha encontrado su derrota final e irrevocable.

Rearden conduce hasta el hotel de Nueva York donde lo esperan Wesley Mouch, Jim Taggart, Floyd Ferris y otros. Le ruegan que acepte un Plan de Unificación del Acero, inspirado en el Plan de Unificación del Ferrocarril. Cada empresa siderúrgica producirá tanto como pueda, "según su capacidad"; sus ingresos brutos serán confiscados y colocados en un fondo común; luego, a cada empresa se le pagará "según su necesidad". Dado que se determina que la conservación de los altos hornos es la "necesidad básica", las empresas serán recompensadas de acuerdo a su número de hornos.

Con este plan, a Rearden se le pagaría por menos de la mitad de su producción real, mientras que a Orren Boyle, que tiene abundantes hornos inactivos, se le pagaría por casi el doble de su producción.

Rearden los desafía a explicar cómo "hacer que lo irracional funcione".

"¡Oh, harás algo!", exclama James Taggart.

Rearden comprende de repente la naturaleza de sus enemigos y quién los ha estado fortaleciendo. Contaban con él para comprarles un poco más de tiempo, antes de que él también fuera destruido. Rearden los deja y regresa a Filadelfia, a sus molinos. A una milla de distancia oye disparos: una turba está tratando de asaltar la puerta principal. Girando por una calle lateral, se detiene chirriando y salta, medio deslizándose por el barranco hasta donde se topa con una forma humana.

Es Tony, el "nodriza", herido de muerte. El chico le dice que los saqueadores en Washington habían planeado organizar un tumulto falso de trabajadores supuestamente hambrientos en sus fábricas para justificar la imposición del Plan de Unificación del Acero, pero Tony se había negado a firmar los pases que permitirían que matones a sueldo entraran a la propiedad. Cuando corrió en busca de ayuda, le dispararon.

Rearden lucha por sacarlo del barranco, pero Tony muere en sus brazos. Rearden sigue caminando, su rabia crece y deja el cuerpo del chico en la enfermería. Luego se dirige a la puerta principal, y para su sorpresa, existe una resistencia organizada contra los matones. En un techo ve a un hombre disparando contra los alborotadores. El hombre lo ve y abandona su puesto, mientras Rearden se enfrenta a dos matones. En el instante en que lo golpean, escucha el disparo de un arma, y un brazo fuerte frena su caída mientras se derrumba en la oscuridad.

Rearden despierta en su oficina, y ve al médico del molino que se cierne sobre él. Pregunta quién le había salvado la vida y el médico responde que fue Frankie, el nuevo capataz del horno, quien se enteró del complot y organizó las defensas. Rearden pide verlo.

Se abre la puerta. De pie, orgulloso, manchado de hollín, está Francisco d'Anconia. Rearden reconoce la amistad de Francisco y dice que está listo para escuchar lo que su amigo tiene que decir.

A la mañana siguiente, Dagny se ríe triunfante mientras James grita histéricamente que Rearden se ha marchado y desaparecido. Los periódicos tratan de encubrir la historia mientras la nación se desliza hacia la anarquía. Anuncian un próximo discurso radial del Sr. Thompson sobre la crisis mundial, que ha sido programado para la noche del 22 de noviembre.

James le dice a Dagny que el jefe de estado la ha invitado personalmente a hablar con él en el estudio antes de la transmisión. Dagny llega con Eddie Willers para encontrar a toda la pandilla de Washington presente, incluyendo a Robert Stadler. Justo antes de las ocho, un técnico entra corriendo con la noticia de que todas las estaciones de radio del país han dejado de emitir de manera simultánea. Las señales se ven abrumadas por ondas de alguna frecuencia y fuente desconocida. El Sr. Thompson grita con fuerza para que alguien haga algo.

"Damas y caballeros", dice una voz desde una radio cercana, "...este es John Galt hablando".

En las siguientes tres horas, Galt le cuenta al mundo sobre la huelga y sus razones. Revela el significado filosófico y la causa de la crisis mundial y la cura: "Estamos en huelga contra la autoinmolación. Estamos en huelga contra el credo de recompensas y deberes inmerecidos. Estamos en huelga contra el dogma de que la búsqueda de la propia felicidad es mala". Condenando las ideas del misticismo, el altruismo y el colectivismo, esboza la base de una nueva moralidad: una moralidad del interés propio racional. Cuando termina el discurso, el Sr. Thompson exige que alguien le diga qué hacer. Dagny le dice que ceda el poder, mientras que Robert Stadler le pide que no escuche. Cuando ella y Eddie se van disgustados, Stadler exclama fríamente que su ex alumno debe ser asesinado. Stadler, sugiere encontrar a Galt siguiendo a Dagny.

Thompson acepta rastrear a Dagny, pero no matar a Galt, explicando que harán un trato y conseguirán que él los salve.

A medida que la violencia comienza a abrumar al país, a medida que más y más hombres de talento desaparecen cada día, a medida que aparecen cada vez menos productos en las tiendas, a medida que Rearden Steel se nacionaliza y luego se cierra, las transmisiones de noticias imploran a John Galt que negocie con el Sr.Thompson, pero no hay respuesta.

El Sr. Thompson advierte a Dagny que el liderazgo nacional está dividido en dos facciones: la suya, que aborrece la violencia, y la facción Ferris-Meigs, que lo insta a controlar la nación a través de un reino de terror. Casualmente, se pregunta en voz alta si sus matones ya habrán encontrado y matado a Galt. Su estratagema funciona.

Sumergida en la ansiedad y la desesperación, Dagny busca la dirección de Galt en la nómina de Taggart. Luego, se abre camino a través de un barrio pobre hasta una antigua vivienda y toca el timbre. La puerta se abre y John Galt se para ante ella, y la ve derrumbarse en sus brazos.

Él le advierte que sin duda la han seguido. Si el gobierno se entera de lo que significan el uno para el otro, la torturarán para obligarlo a cumplir sus órdenes. Entonces, Galt le explica que cuando llegue la policía, ella lo entregará y reclamará la recompensa. Dagny acepta de mala gana, y Galt le muestra una habitación cerrada: dentro está su laboratorio científico, su equipo accionado por un motor.

Cuando llega un grupo de soldados, Galt y Dagny comienzan su farsa. Ella lo identifica y él finge enojo. Se niega a abrir la puerta de su laboratorio, mientras los matones fuerzan la cerradura, para encontrarse con absolutamente nada dentro más que montones de polvo.

Llevan a Galt al hotel Wayne-Falkland, para crear la ilusión de que no es un prisionero, pero guardias armados permanecen en su puerta. Una serie de visitantes, comenzando con el Sr. Thompson, discuten, ruegan y amenazan a Galt, tratando de que les diga qué hacer para salvarlos. Thompson incluso le ofrece a Galt el papel de Mouch como dictador económico de la nación. Galt responde que seguirá cualquier orden a punta de pistola; pero no pensará por ellos. "Cuando obligas a un hombre a actuar en contra de su propia elección y juicio, es su pensamiento lo que quieres que suspenda. Quieres que se convierta en un robot. Yo debo cumplir".

A los otros funcionarios no les va mejor; la mayoría teme la perspectiva de volver a enfrentarse a los ojos que ven demasiado, a la voz que nombra lo que desean evadir. Y a medida que las fábricas continúan cerrando y los disturbios se expanden hasta convertirse en insurrecciones regionales, los encuestadores entienden que nadie cree en la propaganda gubernamental que enarbola una cooperación entre Galt y ellos.

Dagny recibe un mensaje de Francisco diciéndole que vigile de cerca a los oficiales y que lo llame cuando crea que Galt necesite ayuda. Los saqueadores están al final del camino. Ferris sugiere tortura, lo que horroriza al señor Thompson: desesperadamente no quiere creer que es el matón que Galt dijo que era.

El Sr. Thompson le pregunta a Galt si hay alguien a quien quiera ver y él pregunta por el Dr. Robert Stadler. Se le ordena a su antiguo maestro entrar en la habitación. "¡No pude evitarlo, John!", exclama. Galt permanece en silencio, lo que lleva a Stadler a un soliloquio de disculpas, luego excusas, luego insultos moralistas y finalmente la declaración de que Galt debe ser "destruido". Ahoga un grito al darse cuenta de lo que ha dicho, y se queja. El monólogo de Stadler, responde Galt, ha cubierto todos los puntos que había querido hacerle a su antiguo maestro. Stadler sale corriendo de la habitación.

Unos días más tarde, se le ordena a Galt que se vista formal para la cena. Un hombre lo lleva al salón de baile del hotel y le clava una pistola oculta en las costillas. Entran ante la ovación de quinientos invitados y Galt se sienta como invitado de honor, entre el Sr. Thompson y el matón. Después de la cena, el equipo de televisión avanza y un locutor da la bienvenida a todos a la inauguración del "Plan John Galt". Los oradores lo elogian por su ingenio como planificador, sus conocimientos prácticos y su liderazgo desinteresado. El Sr. Thompson declara que Galt está presente por su propia voluntad, motivado por el amor a la humanidad y el sentido del deber. Luego, presenta a Galt.

Galt se levanta rápidamente y se inclina hacia un lado, exponiendo el arma del matón al mundo visual. Luego, mirando a la cámara, dice: "¡Fuera de mi camino!"

Robert Stadler escucha esto en la radio de su automóvil, en camino al sitio en Iowa donde se encuentra el Proyecto X. Después de Galt haberlo llamado, los funcionarios del gobierno sospecharon de su lealtad; se había sentido acorralado, pero luego recordó el Proyecto X. Después de todo, era de su propiedad: era el producto de sus ideas. Conduce frenéticamente, planeando vagamente tomar el control del arma y usarla para defenderse de los salvajes de Washington.

Por intimidación, Stadler se abre paso entre los guardias del lugar, que ha sido tomado por Cuffy Meigs. Encuentra a Meigs en la sala de control, alcoholizado. Comienzan una peligrosa pelea cerca del panel de instrumentos, y Stadler le ordena a Meigs que no lo toque. Meigs no obedece, y cuando uno de sus partidarios intenta detenerlo, solo lo enoja más. "Te mostraré quién manda", exclama Meigs, y tira de una palanca.

Un estruendo de sonido levanta y hace añicos el edificio, y en un diámetro de trescientos kilómetros, ciudades y casas de campo se derrumban en escombros. En la periferia del círculo, en el río Mississippi, un tren y la mitad del Puente Taggart caen al agua.

De vuelta en el salón de baile, Dagny, quien se encontraba entre los invitados, deja a la multitud aterrorizada y encuentra al Sr. Thompson y sus asociados amontonados. Ferris explica que ahora sólo funcionará la "acción directa", que su "Ferris Persuader" en el Instituto Estatal de Ciencias de New Hampshire puede obligar a Galt a cumplir. James está ansioso por probar el dispositivo y, finalmente, incluso Mouch y Thompson lo acompañan.

Dagny llama a Francisco. Luego, se apresura a su apartamento y a su oficina para empacar. De repente, el jefe de los ingenieros entra corriendo con la noticia de la destrucción del Puente Taggart. Jadeando, salta al teléfono y luego lo baja lentamente.

Dagny deja Taggart Transcontinental por última vez. Afuera ve que la noticia del desastre del Proyecto X ha llevado a la ciudad al caos. Francisco se acerca a ella, y frente a él, ella repite solemnemente el juramento de huelga.

En el sótano de una pequeña estructura de hormigón en el Instituto de Ciencias del Estado, John Galt yace desnudo, atado a un colchón. Los electrodos adheridos a su cuerpo conducen a una máquina cuyo panel de control está a cargo de un joven mecánico. Taggart, Mouch y Ferris se sientan cerca. Ferris le dice a Galt: "Danos ideas o cualquier cosa". Galt permanece en silencio. Ferris ordena una serie de descargas eléctricas enviadas a través del cuerpo de Galt y se niega a hablar.

De repente la máquina se detiene. El joven mecánico lo mira con expresión de incomprensión, y es entonces cuando escuchan la voz de Galt, dándole instrucciones sobre cómo solucionarlo.

Horrorizado, el mecánico sale corriendo de la habitación. "¡No!" James Taggart exclama. Mouch intenta calmar a Taggart, pero no lo consigue. "¡Quiero romperlo! Quiero escucharlo gritar. Quiero... Y luego el propio Taggart grita, dándose cuenta de que quiere que Galt muera aunque le cueste la vida.

Taggart se derrumba. Conmocionados, Ferris y Mouch lo conducen fuera de la habitación.

Dagny, Francisco, Ragnar y Rearden invaden los terrenos del Instituto Estatal de Ciencias. Después de vencer a los guardias en breves encuentros armados, corren escaleras abajo hacia el sótano, liberan a Galt y lo llevan de regreso a su avión.

En poco tiempo, el brillante horizonte de Nueva York se eleva ante ellos. Por unos momentos, miran hacia la ciudad. De repente, los edificios parecen desvanecerse; toma un momento darse cuenta de que las luces de Nueva York se han apagado.

En el desierto de Arizona, se avería el tren que llevaba a Eddie Willers. La tripulación intenta en vano reparar el motor, mientras una línea de vagones cubiertos se acerca. El líder le dice a Eddie que seguir adelante es inútil: el Puente Taggart hacia el Este ya no está. Los pasajeros aterrorizados aceptan su oferta de unirse a su caravana tirada por caballos, pero Eddie se niega. "¡No lo dejes pasar!" grita, mientras lo dejan en la oscuridad. Eddie da un paso hacia la parte delantera del motor, mira impotente las letras TT y luego se derrumba sobre los rieles, sollozando.

Es una tarde en el valle. Los hombres en huelga están dando los toques finales a sus planes de futuro. En una cresta alta sobre ellos, Galt y Dagny caminan a la luz de las estrellas. Luego, Galt se detiene y mira hacia la distancia más allá de las montañas.

"El camino está despejado", exclama. "Volvemos al mundo".

Personajes

Hay más de ochenta personajes, heroicos y de otro tipo en *La rebelión de Atlas*. En la lista que viene a continuación les presentamos a todos (¡creemos!) los personajes a los que Rand les dio, al menos, nombres parciales:

AKSTON, DR. HUGH. Filósofo de renombre mundial, ex director del departamento de filosofía de la Universidad Patrick Henry de Cleveland. John Galt, Francisco d'Anconia y Ragnar Danneskjöld se encuentran entre sus antiguos alumnos. Lo convencen de que se una a la huelga, y como huelguista, le da vueltas a las hamburguesas en un restaurante de carretera en Wyoming y trabaja para Mulligan Tobacco en Galt's Gulch.

ATWOOD, CALVIN. Propietario de Atwood Light y Power Company. Se une a la huelga, se convierte en zapatero y propietario de Atwood Leather Goods en Galt's Gulch.

BASCOM, ALCALDE. Alcalde sórdido de Rome, Wisconsin, que fue propietario brevemente de Twentieth Century Motor Company después de la quiebra del Banco Nacional Comunitario de Eugene Lawson.

BEAL, LUKE. Un bombero de Taggart que es bueno en su trabajo pero no es capaz de nada más exigente intelectualmente. Es el único superviviente conocido del desastre del túnel de Taggart.

BLODGETT, DR. Operador de teclado del Proyecto X.

BOYLE, ORREN. Responsable de Associated Steel y del Consejo Nacional de Industrias del Metal. Boyle conspira con James Taggart y el gobierno para destruir a su competidor,

Hank Rearden, y apoderarse de los derechos para producir metal Rearden.

BRADFORD, LAURA. Una actriz que intenta construir su carrera saliendo con funcionarios. A su último novio, Kip Chalmers, le agrada porque es la ex de Wesley Mouch. Ella muere en el desastre del túnel de Taggart.

BRENT, BILL. Jefe de despacho de la división de Colorado de Taggart Transcontinental. Se rinde en lugar de cumplir la orden de Dave Mitchum de enviar una locomotora de carbón a través del túnel de Taggart.

CHALMERS, KIP. Un burócrata convertido en político. Presiona a James Taggart para que deje que su tren atraviese un túnel de Colorado a pesar de que sólo hay disponible una peligrosa locomotora de carbón. Esto conduce a un gran desastre.

CHALMERS, MA. Una socióloga y budista convertida que gana prestigio cuando su hijo Kip muere en el túnel de Taggart. En un esfuerzo por hacer que los estadounidenses se parezcan más a "los pueblos de Oriente", respalda un proyecto de soja subsidiado que termina fracasando.

COLBY, TOM. Líder del Sindicato de Trabajadores del Acero de Rearden; capataz de laminación; la antítesis moral de Fred Kinnan. Rearden y él se respetan como aliados, no como adversarios.

CONWAY, DAN. Presidente del Ferrocarril Phoenix-Durango. Conway se ve obligado a la quiebra en una conspiración de la industria diseñada por James Taggart y Orren Boyle.

DANAGGER, KEN. Fundador de Danagger Coal. Danagger compra en secreto Rearden Metal en violación de las regulaciones gubernamentales. Mientras es acusado, renuncia y se une a la huelga de Galt.

D'ANCONIA, FRANCISCO. Francisco, el espectacularmente capaz presidente de d'Anconia Copper y primer amante de Dagny Taggart, es el primer hombre en unirse a la huelga de Galt, y renuncia a Dagny para hacerlo. Adopta la apariencia de un playboy internacional como camuflaje mientras destruye deliberadamente su imperio industrial durante un período de años. Francisco es también uno de los reclutadores de la huelga, y sus discursos sobre el significado moral del dinero y sobre el sexo ayudan a liberar a Hank Rearden de la culpa.

D'ANCONIA, SEBASTIÁN. Fundador de d'Anconia Copper; el venerado antepasado de Francisco d'Anconia.

DANIELS, QUENTIN. Un joven científico talentoso que elige ser un vigilante nocturno en lugar de servir al gobierno. Dagny lo contrata para que intente reconstruir el motor que ella y Rearden descubren en la abandonada Twentieth Century Motor Company. Cuando Galt lo recluta, Dagny sigue su avión hasta Galt's Gulch.

DANNESKJÖLD, RAGNAR. Amigo de la universidad de Francisco y Galt; joven filósofo en ciernes. Ragnar es el tercero en ir a la huelga. Hombre de justicia implacable, se convierte en un pirata temido que hunde los barcos de ayuda del gobierno. Se casa con la bella actriz Kay Ludlow.

EUBANK, BALPH. El líder literario proclamado de la época, cuyas novelas sin trama no se venden. Condena el mercantilismo y el materialismo.

FERRIS, DR. FLOYD. Coordinador superior del Instituto Estatal de Ciencias, que trabaja para aprovechar la ciencia al servicio de las autoridades. Chantajea a Rearden para que ceda los derechos de patente a Rearden Metal. Más tarde, Ferris insta a torturar a John Galt con su máquina, la "Ferris Persuader".

GALT, JOHN. El héroe principal de *La rebelión de Atlas*, inmortalizado en la expresión del argot, "¿Quién es John Galt?" John Galt es el hombre detrás de los dos misterios que investiga Dagny: es él quien creó el motor que ella descubre en las ruinas de la fábrica de la Twentieth Century Motor Company; y es él quien está persuadiendo a grandes triunfadores y productores ambiciosos para que desaparezcan del mundo. Sin embargo, durante gran parte de la novela lo vemos solo como el amigo anónimo de Eddie Willers y su confidente en la cafetería del ferrocarril. En el clímax de la novela, Galt explica la filosofía detrás de la huelga en un discurso por radio.

GONZALES, RODRIGO. Un diplomático chileno que se dice que se unió al gobierno de su país luego de que éste expropió su propiedad. Está involucrado en el intento de apoderarse de d'Anconia Copper.

GONZALES, SEÑORA. Esposa de Rodrigo Gonzales. Él le intercambia favores sexuales.

HALLEY, RICHARD. Un compositor brillante que logra un reconocimiento tardío después de una lucha larga y agotadora. En su noche de triunfo, Halley se retira y desaparece.

HAMMOND, LAWRENCE. Propietario de Hammond Cars, fabricante de los mejores automóviles del país; otro recluta para Galt's Gulch.

HARPER, POP. El anciano y leal secretario jefe de Taggart Transcontinental.

HASTINGS, WILLIAM. Como ingeniero jefe de la Twentieth Century Motor Company, jefe de John Galt. Se une a la huelga de Galt, pero cuando comienza la novela, lleva varios años muerto.

HASTINGS, SRA. La amable y digna viuda de William Hastings. Dagny la entrevista sobre la pista del inventor del motor.

HENDRICKS, DR. THOMAS. Médico de renombre e investigador. Se declara en huelga cuando se socializa la medicina.

HOLLOWAY, TINKY. Un burócrata influyente de Washington aliado de Orren Boyle y Wesley Mouch.

HUNSACKER, LEE. Ex-presidente de Amalgamated Service Corporation, que Dagny se entera se hizo cargo de la empresa Twentieth Century Motor Company en quiebra. Su exitosa demanda contra el banquero Midas Mulligan por no otorgarle un préstamo impulsa a Mulligan y al juez Narragansett a unirse a la huelga. Hunsacker es descendiente de miembros de los Cuatrocientos de Nueva York, y cuando Dagny lo conoce, se queda con amigos por falta de un hogar propio.

IVES, GWEN. El secretario leal y sumamente competente de Hank Rearden.

KEITH-WORTHING, GILBERT. Anciano, ha sido autor británico; amigo de Kip Chalmers; defensor del colectivismo. Muere en el desastre del túnel de Taggart.

KELLOGG, OWEN. Joven y hábil asistente del gerente de la Terminal Taggart. Renuncia a pesar de los esfuerzos de Dagny por persuadirlo de que se quede, y no dice por qué ni a dónde va. Mientras busca al "destructor", Dagny se encuentra con él en un tren y se da cuenta de que ahora es uno de los hombres del "destructor".

KINNAN, FRED. Líder del Trabajo Amalgamado de América. Kinnan es un corrupto buscador de poder, pero más francamente honesto que el resto de la banda de Washington con la que conspira. Respeta a Galt.

LA NODRIZA. Subdirector de Distribución asignado a Rearden Metal. Pasa de encontrar a Rearden "poco práctico" a pedirle un trabajo productivo. Cuando el gobierno lanza un violento ataque contra los molinos de Rearden, éste resulta herido de muerte al intentar detener a los matones. Solo cuando se está muriendo nos enteramos de que se llama Tony.

LARKIN, PAUL. Hombre de negocios inepto; viejo amigo de los Reardens. Larkin traiciona a Rearden para obtener influencia política. Cuando Rearden se ve obligado a vender sus minas de mineral, Larkin las compra con préstamos de Rearden y del gobierno. Le asegura a Rearden que le proporcionará mineral, pero no lo hace.

LAWSON, EUGENE. Un burócrata; anteriormente el "banquero con corazón", pero gracias a sus préstamos humanitarios, y especialmente a un préstamo a la organización de Hunsacker que dejó a Lawson con la fábrica Twentieth

Century Motor, su Banco Nacional Comunitario en Wisconsin ya no existe. Dagny lo entrevista sobre la pista del inventor del motor, pero él cree que ella busca favores políticos. Se le ve sonriendo ante la idea de una hambruna masiva y ante la decisión de torturar a John Galt.

LIDDY, MORT. Compositor de bandas sonoras de películas, incluida una que incorpora y degrada un tema de Richard Halley, y sinfonías modernas; un asociado de Balph Eubank.

LOCEY, CLIFTON. Un amigo de Jim Taggart que reemplaza informalmente a Dagny como vicepresidenta operativa cuando ella renuncia por la Directiva 10-289. Eludiendo la responsabilidad en todo momento, causa el caos, incluido el desastre del túnel de Taggart.

LOGAN, PAT. El ingeniero que gana el sorteo para ejecutar el primer tren de la línea John Galt. Finalmente se rinde, abandonando un tren.

LUDLOW, KAY. Una famosa y bella actriz que, rechazando los valores que se celebran en las películas, se declara en huelga y se retira a Galt's Gulch. Se convierte en la esposa de Ragnar Danneskjöld.

MARSH, ROGER. Productor de electrodomésticos en Colorado y coles en Galt's Gulch. Antes de unirse a la huelga, pide que lo encadenen a su escritorio para evitar renunciar, pero lo hace de todos modos.

MARTINEZ, MARIO. Tesorero de la Corporación para el Desarrollo y la Amistad entre Vecinos, que tiene un contrato para administrar empresas industriales para los "Estados Populares" del Hemisferio Sur.

MCKIM, RAY. Bombero que obtiene la oportunidad de trabajar en el primer tren de la línea John Galt.

MCNAMARA, DICK. Un contratista competente de Cleveland que trabaja para Taggart Transcontinental. Dagny confía en él para construir la línea John Galt, pero se declara en huelga.

MEIGS, CUFFY. Director de unificación bajo el Plan de Unificación Ferroviaria; un matón supersticioso y antiintelectual. Cuando la economía se acerca al colapso, toma el control del arma del "Proyecto X" del gobierno para establecerse como un dictador local. Alcoholizado, Meigs provoca accidentalmente una enorme explosión que devasta gran parte del Medio Oeste, destruye el vital Puente Taggart sobre el río Mississippi y se mata tanto a él como a Robert Stadler.

MITCHUM, DAVE. Superintendente de la División de Colorado de Taggart Transcontinental. Mitchum consiguió su trabajo sólo porque era el cuñado de Claude Slagenhop. Su decisión de dejar que una locomotora de carbón tire del tren de Kip Chalmers hacia el túnel de Taggart conduce al desastre.

MORRISON, CLARENCE ("CHICK"). El "acondicionador moral" del gobierno y principal propagandista. Ayuda a diseñar una transmisión de televisión para mostrar a Galt a la nación; cuando fracasa, renuncia y huye.

MOUCH, WESLEY. Un fracaso en el sector privado; un éxito en Washington. Contratado como cabildero de Rearden, lo traiciona a cambio de un alto puesto en el gobierno en el Bureau de Planificación Económica y Recursos Nacionales. Un don nadie sin rostro que constantemente aboga por "poderes más amplios", se le considera "seguro" y se le asciende hasta convertirse en el dictador económico de la nación.

MOWEN, HORACE BUSSBY. Responsable de la empresa fusionada de interruptores y señales. Al principio se resiste a aceptar la producción de interruptores de metal Rearden para Taggart Transcontinental; luego está de acuerdo; luego decide dejar de hacerlos porque es impopular. Pero una vez que John Galt Line demuestra lo que el metal Rearden puede hacer, Mowen exige una ley que le dé una "parte justa" de ella. Mowen no puede entender por qué las empresas están dejando estados más regulados por otros menos regulados.

MULLIGAN, MIDAS (NÉ MICHAEL). Dueño descarado y colorido del Mulligan Bank of Chicago; primer inversor en Rearden Steel; el hombre más rico del mundo. Un columnista humanitario lo apodó "Midas" como un insulto; cambió su nombre. Mulligan se declara en huelga y desaparece cuando un tribunal le ordena que haga un préstamo arriesgado a Lee Hunsacker y su empresa para comprar la fábrica de Twentieth Century Motor Company. Mulligan luego compra un valle remoto en las Montañas Rocosas de Colorado, que secretamente desarrolla como "Galt's Gulch".

NARRAGANSETT, JUEZ. Erudito jurídico eminente; juez del Tribunal Superior de Illinois. El juez Narragansett se declara en huelga después de que un tribunal superior anule su decisión contra Hunsacker. Es designado árbitro de disputas en Galt's Gulch, donde también es dueño de una granja de pollos y productos lácteos.

NEALY, BEN. Contratista que se hace cargo de la construcción de la línea John Galt cuando McNamara renuncia. Es hostil y resentido con las demandas de Dagny de un trabajo competente.

NIELSEN, TED. Fabricante de motores en Colorado e inversor en la línea John Galt. Nielsen se declara en huelga cuando se cierra la línea; se traslada a Galt's Gulch, donde se convierte en leñador.

POPE, BETTY. Una chica de sociedad descuidada y la amante de James Taggart.

POTTER, DR. Lacayo de Floyd Ferris en el Instituto de Ciencias del Estado que intenta obligar a Rearden a vender Rearden Metal al gobierno.

PRITCHETT, DR. SIMON. Jefe del departamento de filosofía de la Universidad Patrick Henry después de la partida de Hugh Akston. Un sofista que se burla del poder de la razón, es un valioso creador de excusas intelectuales para la banda de Washington.

REARDEN, HENRY ("HANK"). Inventor férreo de metal Rearden; fundador del imperio Rearden Steel; uno de los tres héroes principales de la novela. La búsqueda de Rearden para comprender y resolver sus conflictos morales y emocionales es fundamental en la trama. Su éxito lo convierte en blanco de depredadores en el gobierno, la industria y su propia familia. Se convierte en el amante secreto de Dagny y, para proteger su reputación, cede los derechos de Rearden Metal al gobierno en un plan de chantaje ideado por su esposa. Rearden finalmente es rescatado, física y espiritualmente, por Francisco d'Anconia.

REARDEN, LILLIAN. La esposa de Hank Rearden. Se casa con ella pensando que ella lo admira, pero ella intenta destruir su autoestima. Ella no está dispuesta a divorciarse de él incluso una vez que sabe que está teniendo una aventura con Dagny. Amiga de James Taggart y partidaria de la banda de Washington, es la fuente de la información secreta que se utiliza como chantaje contra Rearden para privarlo de Rearden Metal.

REARDEN, SRA. La madre petulante y parasitaria de Rearden, quien lo reprende por los mismos logros y virtudes que mantienen su cómodo estilo de vida.

REARDEN, PHILIP. El hermano menor sin propósito de Hank. Philip critica el "materialismo" de Hank y profesa motivaciones "más altas" que hacer dinero, pero eso no le impide vivir de la riqueza de Hank o traicionarlo.

SANDERS, DWIGHT. Propietario de Sanders Aircraft, fabricante de los mejores aviones disponibles. Vende esa empresa a su hermano para poder comprar United Locomotive sin infringir la ley. Luego desaparece en Galt's Gulch y cría cerdos.

SCOTT, JOE. Un borracho que mantiene su trabajo sindical como ingeniero ferroviario solo por su amistad con Fred Kinnan. Está en el acelerador del cometa, intoxicado, durante su fatídico viaje al Túnel de Taggart.

SCUDDER, BERTRAM. Editor de un trapo de izquierdas, *The Future*; autor de un artículo mordaz sobre Hank Rearden titulado "El pulpo"; enemigo de la libertad, la riqueza y los industriales. Dagny es chantajeada para que aparezca en su programa de radio, y después de que ella revela en el aire que Rearden fue chantajeado para firmar por Rearden

Metal y ella fue chantajeada para aparecer en el programa de Scudder, Scudder es culpado y retirado del aire, incluso aunque dice que le ordenaron tenerla en su transmisión.

SLAGENHOP, CLAUDE. Amigo de Philip Rearden; cuñado de Dave Mitchum; jefe de Friends of Global Progress, un grupo socialista militante e influyente.

STADLER, DR. ROBERT. . El físico más grande del mundo; ex director del departamento de física de la Universidad Patrick Henry. Pero él cree que la razón y el compromiso con la verdad son "ciencia pura"; en tecnología y política, cree que se aplican otros estándares. Cuando Stadler refrenda la fundación del Instituto de Ciencias del Estado, Galt, hasta entonces su alumno, lo condena y abandona su programa de posgrado. Stadler se convierte en el director titular del Instituto, prestando su prestigio a la organización y centrándose en la "teoría pura", mientras que Floyd Ferris dirige el lado "práctico", que utiliza la ciencia de Stadler para crear el arma mortal "Proyecto X". Al final, Stadler descubre que quiere a Galt, el estudiante que una vez admiró, asesinado. Stadler muere en la explosión del "Proyecto X".

STARNES, ERIC. El más joven de los tres herederos inútiles del fundador de Twentieth Century Motor Company, Jed Starnes; director de relaciones públicas bajo el esquema colectivista de los herederos. Se venga de una chica que lo había rechazado, matándose en su habitación el día de su boda.

STARNES, GERALD. Heredero, con sus hermanos, de Twentieth Century Motor Company; director de producción allí bajo el esquema colectivista de los herederos. Mientras dura, disfruta de una gran riqueza que, según afirma, es para todos en la empresa; después de que falla, termina como un vagabundo en un albergue.

STARNES, IVY. Director de distribución de la Twentieth Century Motor Company. De los tres herederos de Starnes, Ivy es la única tan comprometida con sus ideales colectivistas que vive de los ingresos de un trabajador típico. A ella le encanta dar lo menos que puede a aquellos que no se inclinan adecuadamente. Culpando a la naturaleza humana por el fracaso del plan de ella y sus hermanos para dirigir la empresa según el principio de "de cada uno según su capacidad, a cada uno según su necesidad", busca consuelo en cultos místicos orientales que desdeñan el mundo físico.

TAGGART, CHERRYL (NÉE BROOKS). Una empleada de tienda poco sofisticada que, creyendo que James Taggart es un gran hombre sobre la base de la publicidad que le atribuye la creación de la línea John Galt, termina casándose con él, intentando estar a la altura del papel de su esposa. Pero luego descubre la horrible verdad sobre su personaje y elige morir en lugar de vivir en sus términos.

TAGGART, DAGNY. Vicepresidente a cargo de operaciones y gran accionista de Taggart Transcontinental; descendiente del fundador del ferrocarril, Nat Taggart; la heroína indiscutible y el personaje principal de la novela. Lucha por salvar su negocio de la coerción del gobierno y de la irracionalidad de su hermano James, el presidente de la empresa. A pesar de tal interferencia, construye la línea John Galt a partir de una pista hecha de metal Rearden. Dagny lucha por descubrir los motivos y las identidades de lo que parecen ser dos hombres misteriosos: uno, un "destructor" que está drenando deliberadamente el mundo de sus productores más capaces; el otro, el inventor del revolucionario motor cuyos restos ha descubierto en las ruinas de la Twentieth Century Motor Company. Contrata a Quentin Daniels para que intente reconstruir el motor. Luego, cuando el odiado "destructor" también lo recluta, ella los persigue en avión y aterriza en Galt's Gulch. Allí descubre que el "destructor" y el inventor son el mismo hombre, John Galt, y se enamora de su enemigo. Ella es la última en unirse a la huelga.

TAGGART, JAMES. El hermano mayor de Dagny; presidente de Taggart Transcontinental; un villano importante de la novela. James frustra todos los esfuerzos de Dagny por salvar el ferrocarril y usa sus conexiones con el gobierno para destruir a sus competidores. Su poder, reputación, riqueza e incluso su supervivencia se mantienen solo gracias a los heroicos esfuerzos de Dagny por salvar su empresa. Se casa con una inocente dependienta, Cherryl, a la que le atrae su engañada admiración, pero se enfurece cuando ella comienza a ver a través de él. Al final de la historia, comprende que quiere matar a Galt aunque sabe que significaría su propia muerte, y tiene un ataque de nervios.

TAGGART, SRA. Madre de Dagny y James; acoge durante un mes cada verano al joven Francisco. Está decepcionada por la aparente falta de interés de su hija por la belleza y el romance.

TAGGART, NATHANIEL ("NAT"). El fundador de Taggart Transcontinental en el siglo XIX, venerado por Dagny. Su estatua en el corazón de la Terminal Taggart es una especie de santuario espiritual para ella, y su coraje y visión ayudan a inspirar su deseo desesperado de salvar el ferrocarril.

THOMPSON, SR. "Jefe de Estado", no "presidente", y un pragmático astuto que cree que todos están abiertos a compromisos. Su apariencia es tan anodina que es difícil de identificar. Intenta contratar a Galt como dictador económico, pero fracasa, ya que Galt señala que Thompson no tiene ningún valor que ofrecerle. Finalmente, autoriza a regañadientes la tortura de Galt.

TUCK, LESTER. Responsable de campaña de Kip Chalmers. Muere en el Túnel de Taggart.

WARD, SR. Presidente trabajador de Ward Harvester Company que trata de mantener su negocio familiar en marcha negociando con Rearden Steel.

WEATHERBY, CLEM. Un teniente burócrata de Wesley Mouch con modales francos y fáciles. Se convierte en el conducto de Dagny para tratar con Washington.

WILLERS, EDDIE. El indispensable asistente especial de Dagny, un hombre de gran integridad pero modesta habilidad, leal a Dagny desde la niñez. Eddie habla con frecuencia con un empleado de Taggart de bajo rango a quien conoce en la cafetería y que se convierte en su caja de resonancia privada sobre Dagny y los problemas del ferrocarril. Eddie no descubre hasta demasiado tarde que ama a Dagny y que su atento compañero es John Galt.

WYATT, ELLIS. Director de Wyatt Oil, que se ha convertido en un pilar de la economía de la empresa apenas rentable que su padre encontró; inventor de un nuevo método para extraer petróleo de la roca. Wyatt se convierte en amigo de Dagny y Rearden. Pero cuando el gobierno impone un impuesto a Colorado que desangrará su negocio, incendia sus campos petroleros en rebelión y se une a la huelga. El fuego de un pozo no se puede apagar. Se convierte en un símbolo de la huelga, conocido como "La Antorcha de Wyatt".

Made in the USA
Monee, IL
05 March 2021

62036025R00039